Le Casse-Noisette

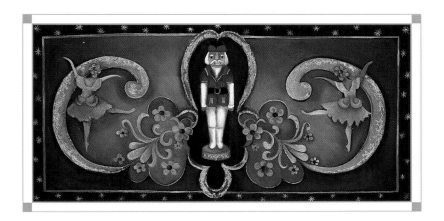

KAREN KAIN

Le Casse-Noisette

*D'après une production
du Ballet national du Canada, mise en scène par James Kudelka*

To Kim & Wayne

Kudelka

Peintures de

RAJKA KUPESIC

Texte français de Brigitte Fréger

**Éditions
■ SCHOLASTIC**

Catalogage avant publication de Bibliothèque et Archives Canada

Kain, Karen, 1951-
[Nutcracker. Français]
Le Casse-Noisette : d'après la production du Ballet national du Canada,
mise en scène par James Kudelka / Karen Kain; peintures de Rajka Kupesic;
texte français de Brigitte Fréger.

ISBN 0-439-94173-3

1. Noël--Contes canadiens-français. I. Kupesic, Rajka II. Fréger, Brigitte
III. Titre. IV. Titre : Nutcracker. Français.

PS8621.A46N8814 2006   jC813'.6   C2006-902013-2

Édition publiée par les Éditions Scholastic,
604, rue King Ouest, Toronto (Ontario) M5V 1E1,
avec la permission de Tundra Books.

Technique utilisée pour les peintures : huile sur toile.
Conception graphique : Kong Njo

5 4 3 2 1   Imprimé et relié en Chine   06 07 08 09

Ce livre est dédié aux danseurs du Ballet national du Canada,
aux élèves de l'École nationale de ballet, aux musiciens, aux membres
du personnel artistique — passés et futurs — et, naturellement,
à James Kudelka dont la somptueuse production
confère toute sa magie à chaque période
des fêtes de fin d'année.
— K.K.

À ma mère, Eliska,
et à toutes les mères qui prennent le temps
de faire découvrir à leurs enfants
le monde merveilleux des arts
— R.K.

Pierre, le garçon d'écurie, fredonnait, tout en balayant le plancher de la grange pour la fête qui allait y avoir lieu. Surexcités, Michel et Marie l'observaient.

— Tu ne peux pas te dépêcher, Pierre? lança Michel, impatient. Les invités vont bientôt arriver.

— Arrête de commander! gronda Marie.

— Allons, les enfants! s'écria Baba. C'est la veille de Noël. Cessez de vous chamailler.

Cela ne servait à rien, car Michel et Marie se chamaillaient tout le temps.

— Je n'en peux plus d'attendre, Baba. Je veux que ce soit Noël tout de suite, soupira Michel. Imagine toutes les friandises que nous allons déguster!

Leur père n'aimait pas qu'ils mangent des sucreries, mais à Noël, on faisait exception à la règle.

— Le plus merveilleux, ce sont les cadeaux! s'exclama Marie, qui espérait recevoir une poupée, une magnifique poupée qui ressemblerait à une fée.

À cette pensée, elle se mit à trépigner d'excitation.

On entendit alors tinter les clochettes des carrioles dans le silence de la nuit. Les enfants se précipitèrent dehors pour accueillir les invités.

Vêtus de fourrure et de velours aux couleurs chatoyantes, les invités se saluaient en exhalant des bouffées de vapeur givrée. Parmi eux se tenaient l'oncle Nicolas et son vieux cheval, Eugène.

L'oncle Nicolas rendait un peu nerveux tous ceux qui le connaissaient. Il avait les yeux pétillants de malice et parlait souvent avec une drôle de voix. Et il aimait jouer des tours, comme faire sortir des oranges des oreilles des gens.

— Oncle Nicolas! Qu'est-ce que tu nous as apporté? demanda Michel au vieil homme.

— Ne sois pas impoli, lui reprocha Marie, tout en rejoignant les autres qui se rassemblaient pour regarder l'oncle Nicolas farfouiller dans sa carriole.

Il remit un jouet à chaque enfant. Eugène renâcla dans l'air glacial.

Bientôt la carriole fut vide. Tout le monde avait reçu un cadeau, sauf Marie.

La pauvre Marie s'efforçait de retenir ses larmes, mais elle n'y parvenait pas. Elle joignit les mains et étouffa un sanglot. En un clin d'œil, l'oncle Nicolas apparut à ses côtés.

— Pourquoi pleures-tu, ma petite? demanda-t-il.

Marie aurait voulu répondre : « Tu as apporté des cadeaux à tout le monde, sauf à moi! » mais elle était trop bien élevée.

L'oncle Nicolas sortit son mouchoir, mais, au lieu de s'en servir pour sécher les larmes de Marie, il en tira une poupée — un casse-noisette jovial en uniforme rouge et blanc, au sourire affable comme celui de Pierre.

— Ah! mais ce n'est pas un cadeau pour les enfants! protesta Michel en déposant le sien.

Marie ne fit aucun cas de sa remarque. Au premier coup d'œil, elle avait eu le coup de foudre pour le casse-noisette et le serrait dans ses bras.

— Hé! laisse-moi le voir! s'écria Michel.

Il s'avança pour le saisir, mais Marie le tira hors de sa portée.

— Qu'est-ce qui se passe? Une partie de souque à la corde devant les invités? demanda leur père d'une voix sévère, tout en souriant.

Les enfants furent alors emportés dans le tourbillon de la fête jusqu'à ce que leur père tape dans ses mains et déclare, beaucoup trop tôt à leur goût :

— Baba, c'est l'heure de mettre les enfants au lit.

Un poêle en faïence rendait la chambre des enfants douillette. Baba embrassa Michel et Marie, et leur souhaita bonne nuit, mais les enfants étaient nerveux. Ils gigotaient et se querellaient. Marie avait l'impression d'être allongée sur un matelas rempli de grosses pommes de terre. Michel se glissa bientôt hors de son lit et se laissa tomber dans un fauteuil. Tous deux finirent par sombrer dans un sommeil agité. Ils rêvèrent de souris qui grattaient dans les murs, même si les bruits nocturnes de la vieille demeure les gardaient à moitié éveillés.

Juste au moment où l'horloge sonnait les douze coups de minuit, une silhouette apparut dans la pénombre de la chambre. C'était l'oncle Nicolas. Sa présence sembla chasser les rêves pénibles et les souris filant dans les murs. Il avait apporté le casse-noisette, qu'il déposa sous le petit arbre de Noël de la chambre.

Marie remua.

— Oncle Nicolas? murmura-t-elle.

Il n'y eut pas de réponse. Le vent soupira dans la cheminée. Soudain, le lit vacilla et la chambre se mit à tourner.

Puis la pièce fut secouée d'un énorme tremblement.

— Qu'est-ce qui se passe? s'écria Marie en plongeant sous la courtepointe.

Michel s'enfouit le visage dans son oreiller.

— Je te mets au défi de regarder, dit-il.

— Non, toi, tu regardes, répliqua-t-elle.

— C'est moi qui t'ai lancé le défi en premier.

Courageusement, Marie se redressa. Un bruit étrange montait de l'armoire à jouets, dans laquelle reposaient ses animaux en peluche, bien rangés côte à côte.

Sous les yeux de la jeune fille, la porte s'ouvrit brusquement et déversa une armée d'animaux soldats. Des chiens et des chats, les uns hurlant, les autres miaulant, se livraient une terrible bataille sur le plancher, s'approchant dangereusement du petit casse-noisette à demi dissimulé sous l'arbre.

— Le casse-noisette! Ils vont le briser. Arrêtez! Arrêtez tout de suite!

Pour une fois, les enfants oublièrent leurs querelles pour devenir alliés. Ensemble, Michel et Marie s'attaquèrent aux jouets féroces à grands coups d'oreiller. La bataille cessa aussi brusquement qu'elle avait commencé, et l'armée redevint une pile de vieux jouets inoffensifs.

Michel se tourna vers sa sœur.

— Si je rêve, c'est un cauchemar! Je veux me réveiller.

— Regarde, Michel, je ne pense pas que le rêve soit terminé.

Le petit arbre de Noël que Baba avait placé dans un bocal pour donner un air de fête à la chambre s'était mis à grandir!

Lentement d'abord, puis de plus en plus vite, ses branches odorantes se déployèrent en direction des murs. Bientôt, la cime toucha le plafond. L'arbre frémit et s'agita. Sous les secousses, les jolies décorations se mirent à s'entrechoquer dans un roulement de tambour de guerre. Au pied de l'arbre, le casse-noisette en bois commença lui aussi à grandir, puis il s'anima et vint s'immobiliser devant les enfants.

— Michel! On dirait Pierre, le garçon d'écurie! s'exclama Marie, enchantée.

De fait, le prince Casse-Noisette s'exprimait d'une voix aimable, tout comme Pierre.

— Vous avez fait preuve de courage ce soir. Vous avez laissé vos disputes de côté pour me sauver. À titre de récompense, je vous promets une nuit merveilleuse.

À ces mots, la pièce se remit à tournoyer.

Les murs se désagrégèrent. Le poêle rutilant et l'armoire à jouets disparurent. La chambre telle que les enfants la connaissaient s'était évanouie. Michel et Marie se retrouvèrent au fin fond d'une forêt sombre et tranquille. Malgré l'air glacial, ils ne sentaient pas le froid. Ils se tenaient par la main en silence.

Des flocons de neige voletaient au-dessus d'un lac gelé, et des branches givrées craquaient tandis qu'ils avançaient dans le frimas nocturne. Soudain, une lumière scintilla et, aussi douce qu'un clair de lune, la Reine des neiges apparut.

— Bienvenue dans mon royaume, déclara-t-elle avant de s'incliner en une gracieuse révérence. Je vous convie à un voyage.

— Où allons-nous? demanda Michel.

— Dans un lieu que vous n'avez jamais imaginé en rêve.

Marie fut enchantée lorsqu'un traîneau en forme de navire, tiré par une licorne blanche et conduit par un prince très élégant, s'avança vers eux.

— Oh! regarde, Michel, c'est le casse-noisette! fit-elle.

Michel était stupéfait.

— Où nous emmène-t-il? demanda Marie, qui pouvait à peine croire à toutes ces merveilles.

Tandis que le traîneau les emportait vers un royaume secret, le portail d'un palais à coupoles s'ouvrit pour les laisser entrer.

Ils furent accueillis par un grand-duc et une grande-duchesse très majestueux. Au centre de la grande salle trônait un gigantesque œuf doré, ciselé de rubans et serti de bijoux. Les parois de l'œuf s'ouvrirent et les enfants aperçurent un intérieur capitonné d'une soie bleu nuit parsemée d'étoiles. Au centre se dressait une silhouette étincelante.

— Qui est-ce? murmura Marie, le souffle coupé.

— La fée Dragée. C'est son palais, déclara la grande-duchesse.

Belle comme un ange et légère comme de la mousse, la fée dansait sur la pointe des pieds. Et pendant ce temps, le prince Casse-Noisette restait au garde-à-vous en lui souriant.

Lorsque le ballet prit fin, Casse-Noisette raconta aux courtisans la bataille qui s'était déroulée entre les chats et les chiens. Tous se levèrent pour applaudir Michel et Marie.

— Invités d'honneur, nous vous saluons! s'écrièrent-ils.

— Cela mérite un banquet, annonça le grand-duc. Dans ce pays, nous commençons toujours nos repas par du chocolat.

Il frappa dans ses mains et une grande table apparut. La nappe d'un blanc immaculé était recouverte de friandises.

Un chef cuisinier coiffé d'une haute toque blanche fit son apparition. Les petits gâteaux au chocolat posés sur la table avaient l'air délicieux; mais lorsque Marie avança la main pour en saisir un, celui-ci s'anima. Elle retira sa main en voyant de minuscules danseurs espagnols qui exécutaient un flamenco endiablé.

— Veux-tu un chocolat chaud, mon petit? proposa le chef cuisinier à Michel en lui tendant une tasse.

Sous les yeux du jeune garçon stupéfait, de délicates silhouettes dansaient en effleurant les bulles de chocolat.

— Oh, non! parvint-il à répondre. Nous n'avons pas le droit de...

— Tout est sens dessus dessous dans ce palais, fit remarquer Marie en se frottant les yeux.

— Je sais, répondit Michel. Je n'y comprends plus rien. Est-ce l'oncle Nicolas ou le grand-duc?

— Je ne sais pas. Et est-ce la grande-duchesse ou Baba? demanda à son tour Marie.

Puis, sous les yeux des enfants intrigués, la grande-duchesse et une délicate bergère exécutèrent un ballet impressionnant au milieu d'un troupeau d'agneaux duveteux.

Les portes de la salle s'ouvrirent en claquant et des cuisiniers apportèrent d'autres délices à déguster. La musique, la danse et les arômes appétissants donnaient le vertige aux enfants.

— Tout est différent ici, déclara Marie, mais familier aussi.

— Regardez, les enfants, voilà une autre surprise, annonça la fée Dragée.

D'un coup de sa baguette magique, elle fit apparaître le spectacle le plus merveilleux de tous.

Des bouquets de fleurs jaunes, bleues et blanches s'animèrent, sous la brise embaumée qui envahissait la pièce. Les fleurs se lancèrent dans une valse joyeuse en ouvrant les bras vers le soleil. Une douce musique s'élevait dans l'air.

Le sombre hiver tirait sa révérence pour laisser place au printemps, et le monde entier se préparait à renaître.

Le temps était venu de quitter le palais. Michel offrit son bras à Marie tandis qu'ils s'apprêtaient à faire leurs adieux au grand-duc et à la grande-duchesse, au prince Casse-Noisette et à la fée Dragée. Mais avant qu'ils aient pu ouvrir la bouche, les murs du palais se désagrégèrent autour d'eux.

Les tables surchargées de gâteaux et de chocolats s'évanouirent. Les courtisans vêtus de soie et de satin disparurent. En un clin d'œil, les enfants se retrouvèrent dans leur chambre. Dehors, des flocons de neige venaient se poser silencieusement sur la vitre.

— Sommes-nous à la maison? murmura Michel. J'ai fait un rêve étrange, ajouta-t-il avant d'enfouir la tête dans son oreiller.

— Moi aussi, répondit Marie.

Du bout des doigts, elle caressa le bois verni du casse-noisette qui montait la garde près de son lit. Elle esquissa un sourire et sombra dans un profond sommeil.